« Alors, quelle cascade vas-tu exécuter ? » demanda le réalisateur à Patrick.

« Je... hum... je... hum... j'ai oublié », répondit nerveusement Patrick. Il jeta un coup d'œil à la foule et aperçut Bob L'éponge qui faisait de drôles de grimaces avec sa langue.

Patrick se mit à ricaner. Puis il comprit ce que Bob L'éponge était en train de faire. Il regarda le cornet de crème glacée dans sa main et il dit : « Oh, oui ! Je vais faire un truc avec ma crème glacée ! »

« Oh ! cela s'annonce palpitant », dit le réalisateur d'un ton sarcastique.

« Je vais tenter de manger ce cornet de crème glacée d'un maximum de coups de langue, expliqua Patrick. Un... deux... »

Avale !

«Deux coups de langue ? Que s'est-il passé ? » demanda le réalisateur.

« Oups ! j'imagine que j'avais faim », admit Patrick.

Publié par PRESSES AVENTURE, une division de
LES PUBLICATIONS MODUS VIVENDI INC.
55, rue Jean-Talon Ouest, 2e étage
Montréal (Québec)
Canada H2R 2W8

Dépot légal : Bibliothèque et Archives nationales du Québec, 2007
Dépot légal : Bibliothèque et Archives Canada, 2007

Traduit de l'anglais par : Catherine Girard-Audet

ISBN 13 : 978-2-89543-711-6

Nous reconnaissons l'aide financière du gouvernement du Canada par l'entremise du Programme d'aide au développement de l'industrie de l'édition (PADIÉ) pour nos activités d'édition.

Gouvernement du Québec — Programme de crédit d'impôt pour l'édition de livres — Gestion SODEC

Bob L'éponge Superstar

par Annie Auerbach
illustré par Mark O'Hare

PRESSES AVENTURE

chapitre un

« Hé, Patrick! s'écria Bob L'éponge. Viens voir cela ! »

Patrick lécha une autre fois son cornet de crème glacée. « Qu'est-ce que c'est? » demanda-t-il en s'avançant vers son meilleur ami.

« J'ai pris cela en partant du Crabe Croustillant », expliqua Bob L'éponge en remettant un feuillet publicitaire à Patrick.

Patrick le prit et se mit à le lire.

VOULEZ-VOUS ÊTRE RICHE ET
DEVENIR UNE GRANDE STAR ?
RÊVEZ-VOUS DE FAIRE QUELQUE
CHOSE DE GRAND DANS LE MONDE
DES CÉLÉBRITÉS MARINES ?

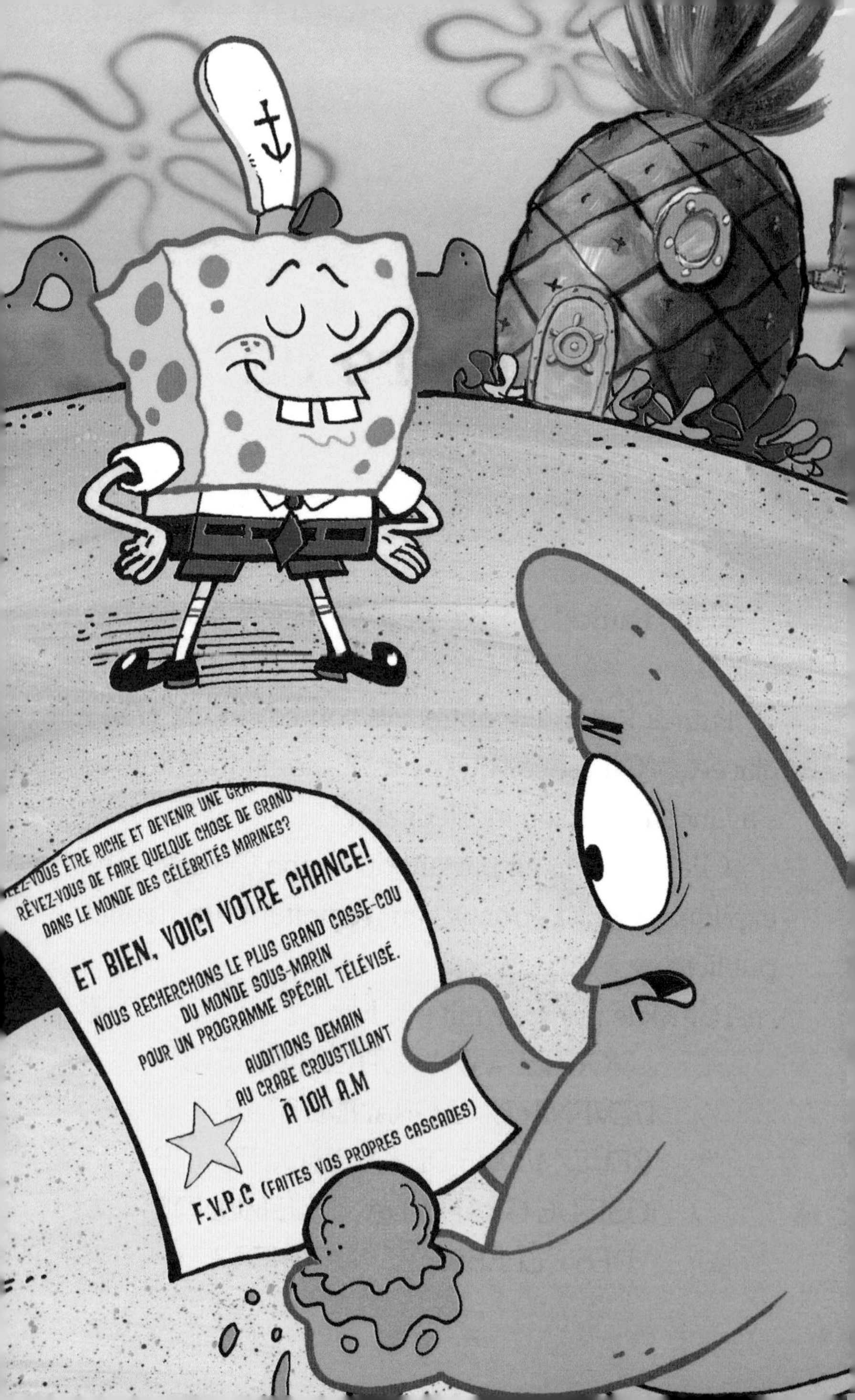
EZ-VOUS ÊTRE RICHE ET DEVENIR UNE GRA
RÊVEZ-VOUS DE FAIRE QUELQUE CHOSE DE GRAND
DANS LE MONDE DES CÉLÉBRITÉS MARINES?
ET BIEN, VOICI VOTRE CHANCE!
NOUS RECHERCHONS LE PLUS GRAND CASSE-COU
DU MONDE SOUS-MARIN
POUR UN PROGRAMME SPÉCIAL TÉLÉVISÉ.
AUDITIONS DEMAIN
AU CRABE CROUSTILLANT
À 10H A.M
F.V.P.C (FAITES VOS PROPRES CASCADES)

EH BIEN, VOICI VOTRE CHANCE !
NOUS RECHERCHONS LE PLUS GRAND
CASSE-COU DU MONDE SOUS-MARIN
POUR UNE ÉMISSION DE TÉLÉ SPÉCIALE.
AUDITIONS DEMAIN AU CRABE
CROUSTILLANT À 10 heures
F.V.P.C (FAITES VOS PROPRES CASCADES)

« Une émission de télé spéciale sur les casse-cou ! s'exclama Bob L'éponge. Est-ce que tu sais ce que cela signifie ? »

Patrick essaya de deviner : « Hum... Une émission à ne pas manquer ? »

Bob L'éponge ricana et répondit : « Oui, bien sûr. Mais cela signifie également que nous pouvons présenter toutes nos cascades. Nous pourrions devenir célèbres ! »

« Mais nous ne connaissons aucune cascade », dit Patrick.

« Bien sûr que oui ! déclara Bob L'éponge. C'est seulement que nous n'y avons pas encore pensé. Hum... »

« Je peux... je peux... Qu'est-ce que je peux faire ? » demanda Patrick.

Bob L'éponge réfléchit un instant. Il jeta un

regard à la crème glacée fondue que Patrick tenait dans sa main. « Nous pouvons faire quelque chose avec de la crème glacée ! » dit-il à Patrick.

« Mais en quoi cela représente-t-il une cascade digne d'un casse-cou ? » demanda Patrick.

« Hum… je sais ! Que penses-tu de manger un cornet de crème glacée d'un maximum de coups de langue ? » suggéra Bob L'éponge en souriant.

« Ouais ! s'anima Patrick. Je suis un casse-cou ! »

« Eh bien, je ferais mieux d'aller réfléchir à une cascade que je pourrais exécuter, dit Bob L'éponge. À demain. »

« À demain ! dit Patrick. Je ferais mieux d'aller m'exercer, moi aussi ! » Il se mit à lécher son cornet et à compter : « Un… deux… trois… »

Bob L'éponge rentra chez lui. Après avoir nourri Gary, il prit un bain et se fit réchauffer un pâté de crabe pour souper.

« Oh… ! dit-il en regardant l'horaire de télévision pendant qu'il mangeait. Il y a des épisodes de L'homme sirène et Bernard L'Hermite en rafale ce soir ! » Puis il se rappela qu'il devait répéter une cascade pour les auditions des casse-cou le lendemain. « Bon… alors je regarderai seulement un ou deux épisodes et ensuite je répéterai. »

chapitre deux

Ensuite, tout ce que Bob L'éponge sut, c'est que la lumière du jour pénétrait par la fenêtre. Il bâilla et se frotta les yeux. « Hum ? C'est déjà le matin ? » demanda-t-il à voix haute. Il remarqua que la télévision était encore allumée. Un reporter lisait le rapport de circulation : « Attendez-vous à un fort ralentissement entre le boulevard Corail et l'avenue des Anchois. Les auditions pour le plus grand casse-cou qui ont commencé à 10 heures. Il semble que tous les habitants de Bikini Bottom se trouvent là-bas. Bonne chance à tous ! Ici Don Coquille pour le réseau… »

« Aaaaaaah ! » s'écria Bob L'éponge en bondissant de son fauteuil. Il jeta un coup d'œil à son réveil. « Oh non ! Il est déjà 11 h 30 ! Je suis en retard ! » Il sauta dans son pantalon carré et il sortit en vitesse.

Lorsque Bob L'éponge arriva finalement au Crabe Croustillant, il y avait une file d'attente qui semblait s'étendre sur des kilomètres ! Il y avait des tas d'apprentis casse-cou avec toutes sortes de véhicules, bidules et gadgets – des skis nautiques gonflables s'adaptant aux huit tentacules d'une pieuvre jusqu'à des échasses faites de varech géant.

« Oh non ! Je n'ai rien apporté ! » s'écria Bob L'éponge. Il se fraya un chemin dans la foule en criant : « Excusez-moi, je suis un employé du Crabe Croustillant ! » Il parvint à entrer dans le restaurant juste à temps pour voir l'audition de Carlo.

« Je vous interpréterai ma pièce favorite : "Solitude en mi mineur" », annonça Carlo avant de commencer à jouer de sa chère clarinette.

Un poisson visqueux et trapu assis dans un fauteuil de réalisateur l'interrompit : « Hum, hé ! excusez-moi, dit-il. Voudriez-vous m'expliquer en quoi cela est une cascade ? »

Carlo s'offusqua instantanément. « Eh bien, si

vous voulez savoir, il ne s'agit pas exactement d'une cascade, confessa-t-il. J'ai pensé qu'une fois que vous auriez entendu ma brillante performance, vous voudriez faire une émission de télé sur moi. »

« Suivant ! » s'écria le réalisateur d'un ton bourru en montrant ses dents pointues.

« De toute évidence, vous ne savez pas reconnaître un vrai talent ! » répliqua Carlo.

« Eh bien, si jamais tu acquiers du talent, tu me le laisseras savoir », répliqua le réalisateur. Tous se mirent à rire et Carlo s'en alla.

Bob L'éponge signa son nom sur la feuille d'inscription puis il aperçut Patrick.

« Je suis allé chez toi ce matin, dit Patrick, mais il n'y avait pas de réponse. »

« Ouais, j'ai dormi trop longtemps », expliqua Bob L'éponge.

« Patrick l'étoile ? » appella un assistant.

Bob L'éponge fit un signe d'encouragement à son ami. Patrick ricana.

« Alors, quelle cascade vas-tu exécuter ? » demanda le réalisateur à Patrick.

« Je... hum... je... hum... J'ai oublié », répondit nerveusement Patrick. Il jeta un coup d'œil à la foule et aperçut Bob L'éponge qui faisait de drôles de grimaces avec sa langue.

Patrick se mit à ricaner. Puis il comprit ce que Bob L'éponge était en train de faire. Il regarda le cornet de crème glacée dans sa main et il dit : « Oh, oui ! Je vais faire un truc avec ma crème glacée ! »

« Oh ! cela s'annonce palpitant », dit le réalisateur d'un ton sarcastique.

« Je vais tenter de manger ce cornet de crème glacée d'un maximum de coups de langue, expliqua Patrick. Un… deux… »

Avalé !

«Deux coups de langue ? Que s'est-il passé ? » demanda le réalisateur.

« Oups ! j'imagine que j'avais faim », admit Patrick.

« Eh bien, tu auras amplement le temps de manger de la crème glacée, parce que tu ne feras pas partie de cette émission de télé spéciale ! » lui dit le réalisateur. Il jeta un coup d'œil à sa montre et dit : « On fait une pause de cinq minutes ! »

Bob L'éponge s'approcha de Patrick. « Ne t'en fais pas pour cela, dit-il, si je suis choisi et que je deviens riche et célèbre, je promets de t'acheter autant de

RÉALISATEUR

crème glacée que tu désires. »

« Merci ! » répondit Patrick.

Bob L'éponge aperçut alors sa copine Sandy.

« Hé, Bob L'éponge ! Où étais-tu passé ? »

Bob L'éponge tenta de donner une explication sans se mouiller : « Hum…j'ai dormi trop longtemps… parce que je suis resté éveillé toute la nuit afin de répéter ma cascade. »

« Vraiment ? répondit Sandy. Je suis vraiment impatiente de la voir ! »

« Hum, ouais, dit Bob L'éponge. Cela devrait être, hum, intéressant. Hé, as-tu déjà passé l'audition ? »

« Bien sûr que oui ! dit Sandy. J'ai fait mes meilleurs trucs de karaté. Le réalisateur m'a vraiment bien appréciée. Il m'a dit que je pourrais être une invitée spéciale à l'émission de télé spéciale ! »

« Félicitations, Sandy ! » lui dit Bob L'éponge.

« Le réalisateur est encore à la recherche de sa superstar, expliqua Sandy. Donc, tu as encore des chances ! »

« Parfait ! » dit Bob L'éponge. Mais il savait qu'il devait penser rapidement à une cascade extraordinaire ! « Excuse-moi, Sandy. Je devrais, hum, aller me préparer. »

« Merde ! » lui dit Sandy

Bob L'éponge eut l'air perplexe.

« Cela veut dire bonne chance », expliqua Sandy en riant.

Bob L'éponge se rendit directement à la cuisine. Il devait immédiatement penser à un bon tour. « Bonjour, Capitaine Krabs, » dit-il à son patron.

« Hé, bonjour, mon petit », dit le Capitaine Krabs.

« Vous n'allez pas auditionner, n'est-ce pas ? » lui demanda Bob L'éponge.

Le Capitaine Krabs se mit à rire. « Oh non ! dit-il. J'ai conclu une affaire avec le réalisateur et je lui ai permis d'utiliser le Crabe Croustillant pour ses auditions. »

« Et que recevez-vous en échange ? » demanda Bob L'éponge.

Le Capitaine Krabs lui montra une brouette remplie d'argent.

« Tout cela ! dit-il d'un ton surexcité. J'aime vraiment bien ces types de la Mer des Célébrités ! »

« Capitaine Krabs, j'ai besoin que vous me rendiez un service, » dit Bob L'éponge.

« Bien sûr, Bob L'éponge. De quoi s'agit-il ? » demanda le Capitaine Krabs en comptant son argent.

« Pour ma cascade, il me faut une spatule, expliqua Bob L'éponge en jetant un coup d'œil rapide autour de lui, et des pâtés de crabe. Est-ce que je peux utiliser la cuisine ? S'il vous plaît ? S'il vous plaît ? »

Le Capitaine Krabs n'écoutait pas vraiment Bob L'éponge. « Oh, bien sûr, Bob L'éponge… soixante-dix-huit dollars, soixante-dix neuf dollars… »

Bob L'éponge sourit. Il entendit alors qu'on appelait son nom. Il sortit en courant de la cuisine.

chapitre trois

« Bob L'éponge ? » appella de nouveau un assistant.

« C'est moi ! » dit gaiement Bob L'éponge.

« Quelle cascade vas-tu nous présenter ? » demanda l'assistant.

« Suivez-moi dans la cuisine », dit Bob L'éponge en les y conduisant.

Le réalisateur jeta un regard aux membres de son équipe. Ils étaient habitués à diriger les autres, mais pas à se faire diriger. Il grimaça et dit : « C'est mieux d'être bon. »

Une fois dans la cuisine, Bob L'éponge fit de son mieux pour que sa cascade ait l'air audacieuse et originale. Il annonça : « Je suis sur le point de vous présenter une cascade jamais exécutée auparavant, et ce, juste sous vos yeux. » Au fond de lui-même, Bob L'éponge savait que c'était vrai puisqu'il n'avait rien préparé. « J'essaierai de préparer trois cent pâtés de crabe de suite. »

« C'est une cascade, ça ? » demanda quelqu'un.

« Chou ! » beugla quelqu'un d'autre.

Bob L'éponge nota que le réalisateur s'impatientait. « Vous ne m'avez pas laisser finir, dit-il rapidement. Je ferai cette épreuve les yeux bandés, au-dessus d'un gril très, très, très chaud et, en plus, j'aurai une main attachée derrière le dos – ma main tourneuse de pâtés de crabe ! »

« Ohoooh ! » fit la foule.

Une fois qu'il eut les yeux bandés et que sa main tourneuse de pâtés de crabe fut attachée derrière son dos, Bob L'éponge se mit au travail. Mais comme il ne pouvait voir ce qu'il faisait, il préparait ses pâtés à l'envers ! Le pain se trouvait entre le pâté de crabe et la moutarde, le ketchup, le cornichon, l'oignon et la tomate. La laitue était sur le dessus, à l'endroit où le pain devait normalement se trouver !

Tous se mirent à rire.

« Ils doivent rire de jalousie afin de me déconcentrer, pensa Bob L'éponge, toujours les yeux bandés. Je travaillerai simplement plus vite ! » Malheureusement, sa main gauche ne pouvait faire tourner ses pâtés aussi précisément que sa main droite, cette dernière étant toujours attachée derrière son dos. Il se mit bientôt à lancer des pâtés de crabe un peu partout dans la pièce.

Le réalisateur et les membres de son équipe se couvrirent tous la tête. On aurait dit une pluie de pâtés de crabe !

Le Capitaine Krabs entra dans la cuisine à ce moment. « Bernicles ! s'écria-t-il. Ma cuisine ! Mes pâtés de crabe ! »

Il se précipita vers Bob L'éponge qui était enseveli sous une montagne de pâtés de crabe et lui arracha le bandeau des yeux.

Maintenant, ils étaient tous hystériques - même le réalisateur. Il ne savait plus ce qui était le plus drôle : la cascade ou Bob L'éponge lui-même. Il rassembla son équipe autour de lui. « Oubliez l'émission de télé spéciale sur les casse-cou, chuchota-t-il avec un rire sournois. J'ai une idée qui nous rendra millionnaires! Nous ferons de cette émission un hilarant spectacle des plus mauvaises cascades! Il s'agira de la plus drôle de toutes les émissions de télévision ! »

Le réalisateur appela Bob L'éponge : « Hé, petit, quel est ton nom ? »

« Bob L'éponge », répondit le cuisiner tourmenté. Le réalisateur lui présenta sa nageoire. « Je suis Cuda. Barra Cuda », dit-il.

« C'est un honneur, monsieur », répondit Bob L'éponge en lui serrant la nageoire.

« Aimerais-tu devenir une star? » demanda le réalisateur à Bob L'éponge.

« Moi ? » demanda Bob L'éponge.

« Parfaitement. Tu seras la prochaine superstar des casse-cou lui assura Barra Cuda. Chaque invertébré de Bikini Bottom souhaitera être à ta place ! »

« Youpi ! » s'exclama Bob L'éponge.

Barra s'aperçut immédiatement que Bob L'éponge était très influençable. « Il me sera facile d'obtenir ce que je veux de lui », se murmura-t-il à lui-même.

Il sortit un contrat qui couvrit tout le plancher et il dit : « D'accord, faisons un marché ! »

Bob L'éponge ne pouvait en croire ses oreilles. « Je vais être une star ! Bob L'éponge va devenir une star ! » dit-il tout haut d'un ton rêveur.

« C'est exact, lui assura Barra, une étoile est née ! En fait, en tant que vraie star, je crois que tu as besoin d'un nom d'artiste. Que dirais-tu de Bob L'éponge Superstar ? »

Bob L'éponge sautait presque de joie en signant son contrat… de son nouveau nom d'artiste.

« Rentrez tous chez vous ! annonça Barra Cuda. Nous avons trouvé notre star ! »

Bob L'éponge rayonnait. Il courut vers ses amis et leur dit tout énervé : « Pouvez-vous le croire ? Moi ! Il m'a choisi, moi, pour être une star ! »

« Je te félicite, petite chose carrée ! » lui dit Sandy.

« Ça, c'est bien mon garçon ! » dit le Capitaine Krabs en lui donnant une petite tape dans le dos.

« Je ne peux toujours pas le croire ! » lança Bob L'éponge.

« Wow ! s'écria Patrick. Je connais une vraie superstar ! Est-ce que je peux te toucher ? »

Bob L'éponge présenta sa main en ricanant.

« Presque une superstar. Mais quand je deviendrai riche et célèbre, je promets de tout partager avec toi ! »

Carlo, encore contrarié par l'histoire de la clarinette, dit : « Bon, au moins tu ne travailleras pas ici pour un certain temps. »

« Oh non ! J'ai oublié ! s'exclama Bob L'éponge. Capitaine Krabs, est-ce que ça va si je prends un congé pour enregistrer cette émission spéciale ? »

« Absolument ! répondit le Capitaine Krabs. Je suis certain que Carlo se fera un plaisir de te remplacer », ajouta-t-il en se bidonnant.

« Grrrr ! » grogna Carlo.

Barra Cuda s'approcha de Bob L'éponge et lui dit, « Le tournage commence demain matin. »

« Oh ! M. Cuda, dit Bob L'éponge, voici mes amis. »

« Ah bon, dit Barra. À demain. »

« Devrais-je répéter des cascades ? » demanda Bob L'éponge.

« NON ! répondit Barra un peu trop rapidement. Je veux dire que, hum, non, cela ne sera pas nécessaire. »

« D'accord M. Cuda, répondit joyeusement Bob L'éponge. À demain ! »

chapitre quatre

Le lendemain, Bob L'éponge se réveilla frais et dispos. Il était vraiment surexcité. « Superstar ! Superstar ! » chantait-t-il passionnément en quittant sa maison en forme d'ananas.

La première cascade prenait place dans la baie des Huîtres. Le plateau de tournage bourdonnait d'activité de tous bords et tous côtés. Les décorateurs étaient occupés à préparer les décors. Les éclairagistes étaient occupés à régler les éclairages. Les costumiers mettaient la dernière main aux costumes.

« Alors, voilà ce que c'est que le monde du spectacle », dit Bob L'éponge, impressionné.

Barra, le réalisateur, aperçut la créature unique en son genre qui allait le rendre millionnaire. « Bob L'éponge ! Viens ici, mon petit ! C'est le temps de te faire maquiller et d'enfiler ton costume », lui dit Barra.

« Hé, hé, M. Cuda ! » dit Bob L'éponge en le saluant.

« Appelle-moi Barra », lui dit le réalisateur.

« Hé, hé, Barra ! » répliqua Bob L'éponge.

Trois longues heures plus tard, Bob L'éponge était prêt. Le costume de casse-cou n'avait pas été conçu pour une éponge, encore moins pour une éponge carrée.

Il va sans dire que l'on cousit beaucoup ce matin-là.

Finalement, Bob L'éponge parut vêtu d'un maillot de bain carré et d'une cape assortie, en tenant un casque verni. « Je ne sais pas, s'inquiéta-t-il en montrant le costume. S'agit-il vraiment de moi ? »

« Peut-être pas, répliqua Barra. Mais il s'agit vraiment de Bob L'éponge Superstar ! »

« Oh oui ! » acquiesça Bob L'éponge, les yeux brillants.

La première cascade de Bob L'éponge consistait à tenter de s'emparer de la perle rare noire du grand-père de toutes les huîtres, le grand Kahuna.

Quand on lui parla de cette cascade, Bob L'éponge se dit : « Cela me semble bien facile ! Je suis certain que cela ne dérangera pas M. Kahuna si je lui emprunte sa perle. » Ce que Bob L'éponge n'avait pas réalisé, c'est tout ce qu'il devait faire pour récupérer la perle en question. Muni d'une planche à roulettes rouge vif, Bob L'éponge était censé rouler sur une piste jusqu'au lit des huîtres. La piste menant à la précieuse perle était pleine de courbes serrées, de boucles extrêmes et de descentes à faire dresser les cheveux sur la tête. Et comme si cela n'était pas assez effrayant, vingt anguilles électriques nageaient sous le lit d'huîtres !

Lorsque Bob L'éponge se rendit compte de tout ce qu'il était censé faire, les yeux lui sortirent des orbites. Après avoir repris ses sens, il s'écria : « Je vais faire quoi ? » Sa tête rétrécissait légèrement sous le coup de la peur.

« Tout le monde doit commencer quelque part », lui rappela Barra.

« Mais que dois-je faire avec ces anguilles ? demanda Bob L'éponge. Une seule décharge électrique et je serai... je serai... je serai tout desséché ! »

« Tu peux le faire, mon petit, le pressa Barra. C'est ton premier pas vers la célébrité, tu te souviens ? »

La tête de Bob L'éponge enfla alors un peu et il attrapa son casque. « Vous avez raison. Allons-y ! »

Barra ne voulait pas laisser Bob L'éponge faire des tours d'entraînement prétextant qu'il voulait ainsi capter l'émotion et le suspense de la cascade exécutée pour la toute première fois.

Une fois Bob L'éponge en place, Barra cria « Action ! » et les caméras se mirent à tourner.

Bob L'éponge commença à rouler sur sa planche et exécuta son premier virage. Malheureusement, c'était l'heure du repas pour les anguilles électriques, et Bob L'éponge paraissait être le repas parfait pour elles.

« N'approchez pas ! N'approchez pas ! hurla Bob L'éponge aux anguilles électriques. Vous ne m'aimeriez pas, de toute façon ! Je suis plutôt caoutchouteux ! » Mais les anguilles continuaient d'avancer vers lui. Il se mit à rouler de plus en plus vite. Puis, arrivé à une boucle, quelque chose à l'intérieur d'une des huîtres attira son regard. Il s'agissait de la plus magnifique perle noire qu'il n'ait jamais vue.

Bing ! Bang ! Boum ! La planche à roulettes de Bob L'éponge sortit hors de la piste et fonça dans une rangée d'huîtres.

« Aïe ! » s'écria Bob L'éponge qui se faisait mordre par les anguilles tandis qu'il culbutait encore et encore. Finalement, il arriva la tête la première à l'intérieur d'une huître – celle qui renfermait la précieuse perle noire. « Je l'ai ! » murmura-t-il.

« Coupez ! » cria Barra.

Heureusement, Bob L'éponge était maintenant hors de portée des anguilles électriques, mais même avec seulement les pieds hors de l'huître, il demeurait assez inquiet. Ce n'est certainement pas de cette façon que la cascade devait se dérouler, n'est-ce pas ?

Après que l'équipe de production eut secouru Bob L'éponge, Barra courut vers lui et s'extasia : « Fantastique ! »

« Hein ? » dit Bob L'éponge.

« Tu as été super, mon petit », lui dit Barra.

« Mais je n'étais pas censé... », commença Bob L'éponge.

« Hé, ne t'en fais pas pour cela. C'était encore mieux que ce que nous aurions pu planifier ! »

déclara Barra en faisant un signe à son équipe.

« Hum… hum, merci », dit Bob L'éponge, hésitant.

Les membres de l'équipe entourèrent Bob L'éponge et se mirent à applaudir. « C'était super ! Tu es tellement courageux ! Tu es une star ! » roucoulèrent-ils tous.

Bob L'éponge haussa les épaules. « Eh bien, ce n'était peut-être pas aussi mauvais que je le croyais », dit-il. Sa tête enfla de nouveau un petit peu.

En rentrant chez lui, Bob L'éponge rencontra Patrick.

« Comment s'est passée ta première journée ? » demanda Patrick avec enthousiasme.

« C'était incroyable ! s'exclama Bob L'éponge. Je pense que j'ai un don naturel pour les cascades de casse-cou ! »

« Nom d'une vache de mer ! s'écria Patrick. Mon meilleur ami est la star des casse-cou ! »

Sur le chemin du retour, Patrick et Bob L'éponge planifièrent ce qu'ils allaient faire lorsque Bob L'éponge serait une grande star.

chapitre cinq

Le lendemain, les cascades de casse-cou de Bob L'éponge prenaient place dans la Lagune Gluante. Cette fois, Bob L'éponge n'avait pas peur. Il était prêt à assumer n'importe quelle cascade qu'on allait lui assigner. Après s'être fait maquiller et habiller, il s'assit et attendit que les réglages techniques finaux soient terminés.

« Bob L'éponge, mon garçon ! » dit une voix.

Bob L'éponge sauta sur ses pieds. « Capitaine Krabs ! »

« Je suis venu voir si tu tenais bon. Je t'ai même apporté des pâtés de crabe. »

Bob L'éponge recula d'un pas et dit : « Pas pour moi, merci. Je suis une diète très stricte. Une diète de superstar. Aucun pâté de crabe n'est permis. »

« Mais c'est complètement fou ! » s'exclama le Capitaine Krabs.

« C'est un sacrifice que les stars doivent faire », dit Bob L'éponge d'un ton prétentieux. Il lui était cependant difficile de se concentrer avec cette odeur de pâtés de crabe qui flottait dans l'air. Ils étaient si tentants !

Le Capitaine Krabs eut l'air perplexe. « Très bien, jeune homme, si tu le dis », dit-il. Puis il s'en alla rapidement car il se sentait soudainement mal à l'aise.

Barra s'approcha de Bob L'éponge. « Es-tu prêt pour les cascades d'aujourd'hui ? » demanda-t-il.

« Plus que jamais ! » déclara Bob L'éponge. Puis, après un moment, il demanda : « Hum, Barra ? Quelles sont les cascades d'aujourd'hui ? »

« Ce sera un jeu d'enfant pour toi. Tiens, avec ton talent – et ta mine - je te prédis un grand avenir, Bob L'éponge ! Maintenant allons-y, en avant ! »

Bob L'éponge imagina sa vie dans la Mer des Célébrités. Tout l'argent qu'il pouvait désirer, entouré de ses fans qui l'adorent, lui demandant des autographes…

Il sortit de sa rêverie lorsqu'il se rendit compte qu'on l'entraînait vers une planche de surf. « Hein ? Mais je ne fais pas de surf », dit Bob L'éponge en regardant autour de lui.

« Aaaaah ! » s'écria-t-il soudain. Il se trouvait effectivement sur une planche de surf. Mais il apprit qu'en plus, il devait surfer sur une jambe, jongler avec dix assiettes, garder un tas de coraux en équilibre sur sa tête et garder une cuillère en équilibre sur son nez – et tout cela en même temps !

« Ceci n'est pas ça faire du surf ! » s'opposa-t-il.

« Bien sûr que si ! C'est faire du surf… à la façon de Bob L'éponge Superstar ! » répliqua Barra.

Avant que Bob L'éponge ne puisse protester davantage, il fut poussé vers la Lagune Gluante par l'équipe de production.

À son habitude, Bob L'éponge n'exécuta pas du tout la cascade de la manière prévue. Une énorme vague se gonfla devant lui et Bob L'éponge paniqua.

Badaboum ! Splash !

Tous les objets qu'il tentait de garder en équilibre s'envolèrent dans toutes les directions.

« Aaaaah ! » s'écria-t-il. L'énorme vague avançait droit sur lui. Ne sachant trop quoi faire, Bob L'éponge décida plutôt de faire du surf sans planche.

Se jetant sur le ventre, il se mit à pagayer avec ses mains. Se sentant aspirer par la vague, il pagaya encore plus rapidement. En fait, Bob L'éponge pagayait tellement vite que ses bras devinrent des tornades en mouvement, comme les hélices d'un avion. Il se mit à souhaiter désespérément que cela pourrait le sauver.

Mais l'énorme vague se gonfla encore plus pour pratiquement devenir un raz-de-marée !

« Aaaaah ! » lança Bob L'éponge quand il se mit à surfer sur la vague.

« Voilà ce que j'appelle surfer ! » dit un assistant.

« Et voilà ce que j'appelle de la comédie ! dit Barra. Continuez de filmer ! »

Splash !

Bob L'éponge, la planche de surf et une tonne d'eau furent rejetés sur le rivage.

Cela ne dérangea aucunement Barra. Il n'aurait jamais pu imaginer une cascade aussi drôle ! Il chuchota aux membres de son équipe : « Assurez-vous de bien flatter son ego. » Puis il s'approcha de Bob L'éponge. « Quelle performance digne d'une star ! Tu étais excellent, mon petit ! » lui dit Barra.

Encore une fois, la tête de Bob L'éponge enfla un peu plus. « Ouais, je suis peut-être... » Il remarqua alors les applaudissements qu'on était en train de lui adresser. Sa tête enfla de nouveau. « Oui ! Oui ! Je suis bon ! »

« La lumière du jour baisse, dit Barra. Est-ce que Superstar a besoin d'une pause ou peut-il faire encore une cascade ? »

« Je suis prêt ! Je suis prêt ! » déclara Bob L'éponge, dont la tête devenait de plus en plus grosse.

« Parfait, dit Barra. Bon, où se trouve cet écureuil ? »

Sandy arriva sur le plateau de tournage et annonça : « Je suis ici, Barra. Je suis prête pour mon gros plan. »

« Très drôle, dit Barra avec un sourire moqueur. Maintenant, la prochaine épreuve en est une de karaté... »

« Oh, wow ! j'adore le karaté ! s'exclama Bob L'éponge en sortant son équipement de sécurité. La sécurité avant tout ! » Il remarqua que son casque était un peu plus ajusté que d'habitude, mais il parvint finalement à se l'enfoncer.

« Vlan ! Ha ! » lança Sandy en prenant une position.

« Ha ! » hurla Bob L'éponge en tournoyant.

Bob L'éponge et Sandy adoraient pratiquer le karaté. Barra fit de son mieux pour ne pas avoir l'air contrarié. Après tout, si cette émission de télé devenait un succès, il pourrait se retirer dans les collines de la Mer des Célébrités et passer son temps à compter ses millions. « Mes petites stars, pourquoi ne pas garder tout cela pour la caméra, hein ? »

Finalement, Bob L'éponge et Sandy calmés, furent fin prêts pour le combat. Ils devaient se battre en sautant par-dessus les dangereuses chutes Rocheuses. Les chutes Rocheuses sont constituées de rochers, séparés par des précipices de plus d'un kilomètre. Un faux pas pouvait les entraîner vers les profondeurs infinies de l'océan.

« Action ! » lança Barra.

« Prépare-toi à une longue bataille sans merci ! » dit Sandy d'un ton assuré.

« J'aimerais voir ça ! » répliqua Bob L'éponge.

« Vlan ! Ha ! » cria Sandy en lançant un formidable coup de pied. Elle atterrit sur le rocher de Bob L'éponge.

Mais Bob L'éponge était très rapide sur ses pieds. Il enchaîna avec son meilleur mouvement : un double nœud aérien.

Sandy bloqua son geste et sauta sur un autre rocher. « Pas mal, cerveau d'éponge ! » dit-elle en riant.

Il devint bientôt clair que Sandy avait le dessus, ce qui était inacceptable pour Bob L'éponge. « Après tout, je suis la star ici », se dit-il à lui-même.

En dernier ressort, Bob L'éponge utilisa sa meilleure défense. Il se servit de son énorme tête pour rouer Sandy de coups du plus fort qu'il pût. La tête de Bob L'éponge était devenue tellement grosse qu'il faillit perdre l'équilibre et tomber du rocher escarpé !

Sandy semblait vaincue lorsque, soudain, elle sortit en faisant des contorsions de sous la tête de Bob L'éponge. Avec un bruyant « Vlan ! », elle lui assena un coup de poing fatal.

Bob L'éponge tomba à la renverse et se retrouva face contre terre, la tête coincée entre deux rochers.

« Coupez ! cria Barra. Beau travail, vous deux ! »

Quand Bob L'éponge fut sur ses pieds, il prit Sandy à part. Il était vraiment en colère. « Devais-tu absolument effectuer ce dernier mouvement ? souffla-t-il. Tu m'as vraiment ridiculisé ! »

Sandy, qui ne pouvait en croire ses oreilles, lui lança : « Tu n'as pas besoin de moi pour te ridiculiser. Tu y es arrivé tout seul. J'ai gagné loyalement. »

« Ce n'est pas chouette de me voler la vedette de cette façon », dit amèrement Bob L'éponge.

« Je croyais que nous étions des partenaires, dit Sandy, mais j'imagine qu'avec ta nouvelle célébrité, il n'y a plus aucune place pour moi. À un de ces jours, Bob L'éponge. »

Bob L'éponge soupira. Sandy faisait partie de ses meilleurs amis. Cependant, il n'eut pas vraiment le temps de se sentir mal, puisque Barra accourait vers lui.

« Que se passe-t-il ? » demanda Barra.

« Sandy et moi avons eu une dispute, expliqua Bob L'éponge. Je ne peux pas croire qu'elle m'ait ridiculisé, tantôt. »

« Ridiculisé ? Tu veux rire ? répondit Barra. Tu étais parfait, petit ! Attends de voir l'enregistrement. Fais-moi confiance. »

Bob L'éponge n'avait aucune raison de ne pas faire confiance à Barra. Alors que sa tête continuait d'enfler, il haussa les épaules et dit : « J'imagine que Sandy ne connaît simplement rien au monde du spectacle. »

« C'est exact ! Demain, nous filmerons la dernière cascade. À demain, Superstar », dit Barra par-dessus son épaule en s'éloignant.

« Je viendrai ! » promit Bob L'éponge.

chapitre six

Le lendemain, alors que Bob L'éponge se rendait sur le plateau de tournage, quelques têtes se tournèrent sur son passage. En tant que grande star, il commençait à être habitué à cela. Il avait déjà engagé un attaché de presse, un chauffeur et une secrétaire particulière.

Mais cette fois, les gens se retournaient pour observer la tête de Bob L'éponge qui avait atteint des proportions gigantesques. Quelqu'un, d'une voix hésitante, fit remarquer à Barra ce phénomène de grosse tête. Mais plutôt que de s'emporter, Barra se contenta de sourire. Il convoqua immédiatement une réunion d'équipe. « Maintenant, écoutez, dit-il à tout le monde. Il paraîtrait que la tête de Bob L'éponge enfle à cause de son énorme ego. Je crois que son immense tête rendra cette émission télévisée encore plus drôle. Mais il ne faut pas qu'il commence à s'en faire à propos de cela. Vous savez comment sont les acteurs parfois. Donc faites comme si de rien n'était. »

« D'accord ! » répondit l'équipe.

Une fois maquillé et costumé, Bob L'éponge avait une haute estime de lui-même.

Barra se mit à expliquer à Bob L'éponge en quoi consistait la cascade finale. « Voilà, Superstar, il s'agit de la cascade la plus dangereuse jusqu'à maintenant. Seul un vrai casse-cou peut s'en sortir. »

« En plein pour moi ! déclara Bob L'éponge. Rien ne m'arrête ! »

« Parfait ! Aimes-tu les vélos à palettes ? » demanda Barra.

« J'adore ça ! » s'exclama Bob L'éponge bien qu'il ne soit jamais monté sur un vélo à palettes de toute sa vie.

« Tu vas accomplir une cascade qui ne sera pas seulement la cascade la plus importante pour l'émission de télé, mais qui te fera aussi entrer dans le livre des records ! »

« Parfait ! s'exclama Bob L'éponge. Hé, est-ce que je suis payé davantage pour cela ? »

« Hum… nous parlerons de cela plus tard, dit Barra. Maintenant, monte sur ce vélo à palettes, Superstar, et créons un grand moment de télévision ! »

Juché sur le vélo à palettes aux abords du domaine des Méduses, Bob L'éponge était censé descendre une grande rampe et sauter par-dessus vingt-cinq bateaux alignés dans un canyon juste en bas.

Bob L'éponge tenta de mettre son casque, mais il était devenu beaucoup trop petit pour lui. Après avoir lutté quelques moments avec son casque, il parvint à peine à se le mettre sur la tête. Il signala à l'équipe qu'il était prêt à partir et les caméras commencèrent à filmer. Bob L'éponge entreprit la descente de la rampe de manière assurée.

Soudain, le casque bondit de sur sa tête et passa par-dessus le bord de la rampe. « Oh non ! » s'inquiéta Bob L'éponge. Mais il allait bientôt s'inquiéter à propos d'autre chose.

Buzz… buzz… buzz…

« Quel est ce bruit ? » demanda Barra.

Buzz... buzz... buzz...

Bob L'éponge prenait de la vitesse.

BUZZ... BUZZ... BUZZ...

L'équipe en entier était horrifiée. Un essaim de méduses suivait Bob L'éponge dans sa descente de la rampe ! Leur guide semblait porter un casque... Le casque que Bob L'éponge avait perdu !

BUZZ... BUZZ... BUZZ...

Bob L'éponge regarda finalement derrière lui. « Aaaaaaaaaah ! » cria-t-il et il perdit l'équilibre.

Criii !

Le vélo à palettes donna de la bande et fila droit dans le canyon. Volant dans les airs, Bob L'éponge quitta son vélo et atterrit dans l'un des bateaux en bas. Heureusement, sa grosse tête amortit la chute. Bob L'éponge se remit à l'endroit dans le bateau, il mit son pied sur l'accélérateur et l'enfonça. Il fila à toute allure, toujours poursuivi par une bande de méduses en colère.

« Aïe ! Aïe ! » criaient les membres de l'équipe qui se faisaient piquer.

Songeant uniquement à sa carrière, Barra ordonna : « Continuez de filmer ! »

Bob L'éponge dirigea le bateau hors du canyon en espérant semer les méduses. Mais elles le suivirent jusqu'à la Lagune Gluante et même jusqu'à Bikini Bottom, piquant tous les gens sur leur passage. Pour comble de malheur, Bob L'éponge, qui n'avait pas son permis de conduire, heurtait à peu près tout sur son passage en zigzag.

Finalement, Bob L'éponge parvint à tourner et à revenir vers le domaine des Méduses. Il eut alors une idée. Il lança à Barra : « Jouez de la musique ! C'est notre seule chance ! » Quelqu'un ouvrit précipitamment un haut-parleur et les méduses se calmèrent soudainement et se mirent à bouger au rythme de la musique.

« Coupez, c'est dans la boîte ! cria Barra. Merci tout le monde ! »

Personne ne réagit comme on le faisait normalement à la fin d'un tournage. Ils étaient plutôt tous en train de gémir et de soigner leurs douloureuses piqûres.

En débarquant du bateau, Bob L'éponge se rendit compte qu'il s'en était sorti sans aucune piqûre. « ce doit être grâce à ma couche protectrice de star, se dit-il à lui-même. Je savais bien que j'étais un casse-cou né. »

« Bob L'éponge ! » appella une voix.

Bob L'éponge se retourna brusquement et aperçut Patrick devant lui. « Est-ce que tu l'as vue, Patrick ? As-tu vu mon impressionnante cascade ? »

« Hum, hum ! répondit Patrick. Tout le monde l'a vue à Bikini Bottom ! Les hôpitaux sont débordés ! »

« Je suis content qu'ils aient tous pris part à mon succès fulgurant », dit Bob L'éponge.

Patrick était sur le point de demander à Bob L'éponge ce qu'il voulait dire par là, lorsque Barra arriva près d' eux.

Barra jeta un regard à Patrick et il dit : « Tiens, tiens, tiens, si ce n'est pas notre roi de la crème glacée. » Il émit un petit hennissement et regarda Bob L'éponge pour l'encourager à faire de même.

Bob L'éponge se mit à rigoler lui aussi, ce qui étonna Patrick. « Pourquoi est-ce que mon meilleur ami rit-il de moi », se demanda-t-il.

« Eh bien, Superstar, dit Barra, je te verrai à la première. Invite qui tu veux. »

« Wow ! Ma première ! » se réjouit Bob L'éponge.

« Hé, Bob L'éponge, pourquoi ne pas célébrer ça ? suggéra Patrick. Nous pourrions aller prendre une crème glacée ou quelque chose dans le genre. »

Bob L'éponge se moqua. « Je n'ai pas le temps pour des choses aussi insignifiantes, dit-il à Patrick. J'ai des interviews à accorder, des gens à voir, des endroits à visiter… »

« Mais alors ? Et tous les plans que nous avions faits pour quand tu serais une grande star ? » dit Patrick, blessé.

Mais Bob L'éponge ne s'en rendit pas compte. « Hum, ouais… Nous pourrions luncher. Demande à ta secrétaire d'appeler ma secrétaire », dit-il d'un ton prétentieux.

« Mais je n'ai pas de secrétaire ! » répondit Patrick tandis que Bob L'éponge s'éloignait, parlant dans son nouveau téléphone-coquillage.

chapitre sept

Le soir de la première arriva enfin. La soirée était télédiffusée à la grandeur de l'océan. En plus, Barra avait loué un cinéma pour une projection réservée aux vedettes. C'était un évènement constellé d'étoiles de cinéma ! Des personnalités célèbres venues de très loin et de très profond étaient présentes, incluant l'acteur Albert Albatros, la comédienne Demoiselle Bleue, la grande écrivaine Harriet Hareng, et la toujours ravissante Poisson-chat. Même Lady Béluga était présente avec sa sensationnelle fille, Caviar !

Maintenant, l'ego de Bob L'éponge était si énorme qu'il avait de la peine à passer sa tête dans la porte. Il était tellement impressionné de voir son nom et sa spongiosité à l'écran. Bob L'éponge s'avança sur le tapis rouge et les photographes prirent des photos de lui alors qu'il posait et signait des autographes. Il lui tardait d'embrasser ses fans et sa nouvelle célébrité en tant que fameux casse-cou.

À l'intérieur du cinéma, la projection était sur le point de commencer. Bob L'éponge jeta un regard autour de lui. Tous les sièges qu'il avait réservés pour ses amis étaient vides. « Où peuvent-ils bien être ? » se demanda-t-il. Il savait que sa secrétaire avait envoyé des invitations à toute la population de Bikini Bottom.

« Je suis sûre qu'ils seront ici bientôt », se dit Bob L'éponge. Quand on tamisa les lumières, ses amis n'étaient toujours pas arrivés. « Eh bien, tant pis pour eux », murmura-t-il afin de se convaincre lui-même.

La musique cessa et une voix se fit entendre : « Du célèbre poisson qui a réalisé *Quand les anchois attaquent II*, voici la première d'une série spéciale sur les casse-cou. » Un titre apparut à l'écran.

Les yeux de Bob L'éponge quittèrent leurs orbites. L'émission spéciale ne s'intitulait plus « *Les plus grands casse-cou du monde sous-marin* ». Le nom avait été remplacé par «*Les plus grands attardés du monde sous-marin !*»

Le réalisateur l'avait trompé ! En regardant la première cascade, Bob L'éponge s'affaissa sur son siège. Il ne s'agissait plus d'une émission spéciale sur des cascades de casse-cou, mais plutôt sur des cascades qui avaient très mal tourné. Il s'était senti tellement ridiculisé ! Bob L'éponge se sentait on ne peut plus embarrassé et sa tête enflée se mit à rapetisser.

Bob L'éponge ne put supporter de visionner que la moitié de l'émission. Complètement humilié, Bob L'éponge se glissa en bas de son siège puis hors du cinéma.

En marchant dans les rues de Bikini Bottom, Bob L'éponge passa devant des maisons où des familles étaient en train de regarder l'émission spéciale. Il pouvait les entendre rire à gorge déployée, ce qui fit rapetisser sa tête un peu plus.

Un peu plus loin, Bob L'éponge aperçut le Crabe Croustillant. Il sentit renaître l'espoir en lui. Il courut à la fenêtre du restaurant et pressa son visage contre la vitre. «Hé, que font tous mes amis ici ? Ils étaient

censés être à ma première. Eh bien, il n'y a qu'un seul moyen de le savoir », dit-il en pénétrant à l'intérieur.

À les entendre rire, il semblait que tous avaient beaucoup de plaisir. Bob L'éponge jeta un rapide coup d'œil pour voir s'ils riaient tous à cause de son émission de télévision très gênante, mais il n'aperçut aucune télévision. Ils semblaient seulement passer un bon moment.

« Allo, tout le monde ! » lança Bob L'éponge.

Mais personne ne lui répondit.

« C'était vraiment une très belle journée à la Lagune Gluante, n'est-ce pas ? » demanda Patrick à Sandy.

« En effet ! » répondit Sandy.

« Vous êtes allés à la Lagune Gluante sans moi ? » demanda Bob L'éponge à Patrick. Mais Patrick lui tourna le dos.

« Capitaine Krabs, c'était le meilleur pâté de crabe que j'aie jamais mangé », déclara Carlo.

« Est-ce qu'il reste quelques pâtés de crabe ? » demanda Bob L'éponge qui se sentait affamé.

Le Capitaine Krabs l'ignora et dit : « Eh bien, je te remercie, Carlo ! Tu me rappelleras de t'accorder une promotion. »

Les yeux de Carlo s'illuminèrent et il répondit : « Hum, Capitaine Krabs ? M'accorder une promotion ! »

Le groupe éclata d'un rire hystérique.

« Ha ! Ha ! Ha ! Ha ! » Bob L'éponge se joignit à lui.

Soudain, tout le monde, à part Bob L'éponge, devint silencieux. Sa tête rapetissa encore un peu plus.

« En fait, je crois avoir un poste à t'offrir comme cuisinier », continua le Capitaine Krabs.

« Attendez ! s'écria Bob L'éponge. Il s'agit de mon poste ! »

Mais tous continuaient de l'ignorer.

« Vous souvenez-vous du bon vieux temps où Bob L'éponge était cuisiner ici ? » demanda Patrick.

« Ouais, acquiesça Carlo. Mais il n'est plus qu'un mythe dans son propre esprit. »

Tous gloussèrent. À ce moment, la tête de Bob

L'éponge ne reprit pas simplement sa taille normale mais devint encore plus petite. Défait, il se dirigea vers la cuisine et se mit à sangloter.

« Qu'ai-je fait ? gémit-il. Je me suis ridiculisé devant les téléspectateurs de l'océan en entier et j'ai perdu tous mes amis. » Il tamponna ses yeux avec des algues. « Aucun contrat pour une émission de télévision ne peut compenser tout ce que j'ai perdu. Je ne suis pas fait pour la Mer des Célébrités. Je suis fait pour vivre ici, à Bikini Bottom ! »

Driiiinnnng !

Le téléphone-coquillage de Bob L'éponge se mit à sonner. « Allo ? » dit-il d'un air penaud.

C'était Barra Cuda. Il n'était pas content. « Où es-tu, petit ? Pourquoi n'es-tu pas ici ? »

Bob L'éponge se mit à sangloter de nouveau. « Je suis au Crabe Croustillant », glapit-t-il.

« J'arrive », lui dit Barra.

Quelques minutes plus tard, Barra entrait en trombe dans le restaurant. Il ne salua personne. Il ne fit que demander : « Où est Superstar ? »

Les amis de Bob L'éponge détestaient ce nom. Avec des sifflements, ils montrèrent tous la cuisine du doigt.

« Je suis désolé, Barra », dit Bob L'éponge lorsque le réalisateur entra dans la cuisine.

« Et moi, je suis désolé de t'apprendre que tu ne peux pas abandonner, Superstar, dit Barra. Tu es sous contrat. Tu dois parler aux média et te rendre aux réceptions. Je croyais que c'était ce que tu voulais ! »

Bob L'éponge rassembla tout son courage et dit : « Je voulais que vous fassiez de moi une star – pas me ridiculiser ! »

« Hé, allons, c'est cela le monde du spectacle, mon petit, dit Barra. C'est un monde où les poissons se mangent entre eux. »

« Eh bien, je ne suis pas un poisson et je veux sortir de votre monde où les poissons se dévorent entre eux, déclara Bob L'éponge. Je veux retrouver ma vie normale, où je peux être avec mes amis, et aller à la chasse aux méduses, et souffler des bulles… »

Agissant en minable réalisateur qu'il était, Barra brandit le contrat que Bob L'éponge avait signé. « Je vais montrer les dents, Superstar, dit Barra. Tu m'appartiens pour les dix prochaines années. »

« Quoi ? s'exclama Bob L'éponge. Laissez-moi voir cela ! » Il s'empara du contrat et lut les tout petits caractères. Il soupira et dit : « Oh, oh. »

À cet instant précis, les amis de Bob L'éponge firent irruption dans la cuisine. Ils avaient entendu toute la conversation. Même si Bob L'éponge avait été énervant ces derniers temps, ils n'allaient certainement pas laisser ce barracuda le brutaliser.

« Laissez-moi voir ce contrat, dit le Capitaine Krabs. Hum… très intéressant… »

« Quoi ? » dit Barra qui s'impatientait.

« Ce contrat est entre vous et Bob L'éponge Superstar, expliqua le Capitaine Krabs. Mais il n'y a personne de ce nom ici. »

« Il est juste devant moi », dit Barra en montrant Bob L'éponge du doigt.

« Non, mon nom est Bob L'éponge Carrée », le corrigea Bob L'éponge.

« Donc, ce contrat est illégal », dit le Capitaine Krabs.

« Mais... mais…, commença Barra, de plus en plus frustré. Cette histoire n'est pas terminée. Je parlerai à mes avocats ! » Puis il sortit en trombe.

« Je déteste vraiment ces types de la Mer des Célébrités ! » déclara le Capitaine Krabs.

Bob L'éponge était reconnaissant. « Vous n'aviez pas à me secourir… mais je suis vraiment heureux que vous l'ayez fait ! » dit-il, exubérant.

« Nous savions que tu avais besoin d'aide », dit Sandy.

« Je crois que tu avais besoin d'être secouru de ta propre personne », dit Carlo.

« Oui, j'imagine que j'étais un peu déchaîné, n'est-ce pas ? » demanda Bob L'éponge.

Tous le regardèrent.

« D'accord, d'accord, j'étais devenu très déchaîné, admit-il. Je suis vraiment désolé. »

« Ça va, tu es pardonné », lui dit le groupe.

« Je ne peux pas croire que j'allais abandonner tout cela pour aller vivre dans la Mer des Célébrités », dit Bob L'éponge.

« Tout cela ? » demanda Patrick.

« Tous mes bons amis », répondit Bob L'éponge.

« Et les pâtés de crabe ! » ajouta le Capitaine Krabs. Il tendit une spatule à Bob L'éponge et dit : « Sois le bienvenu, Bob L'éponge ! Ce n'était pas pareil sans toi. »

« C'est bien d'être de retour chez-soi », dit Bob L'éponge en ouvrant le gril. Il était heureux que sa vie soit revenue à la normale et que sa tête ait repris sa taille carrée normale – juste la taille parfaite.